Naomh Pádraig agus Crom Dubh

Scéal béaloidis arna chóiriú ag
Gabriel Rosenstock

Piet Sluis a mhaisigh

Oiriúnach do pháistí
ó 6 bliana go 9 mbliana d'aois

An Gúm
Baile Átha Cliath

Págánach ba ea Crom Dubh a bhí ina chónaí i gContae Mhaigh Eo aimsir Naomh Pádraig. Ní raibh fonn ar bith air iompú ina Chríostaí. Bhí Pádraig agus Crom Dubh ina gcónaí in aice a chéile agus d'éirigh siad mór le chéile.

Lá amháin, chuir Crom Dubh a bhuachaill chuig Naomh Pádraig agus bronntanas aige dó – píosa breá feola.

'Bronntanas é seo ó mo mháistir,' arsa an buachaill.
'Deo Gratias!' arsa Naomh Pádraig.

Chuaigh an buachaill ar ais go dtí a mháistir.

'Ar ghlac Pádraig buíochas liom?' arsa Crom Dubh.

'Níl mé in ann a rá mar níl a fhios agam céard a dúirt sé,' arsa an buachaill. 'Ní i nGaeilge Mhaigh Eo a labhair sé – Gaeilge Chiarraí, b'fhéidir!'

An lá ina dhiaidh sin labhair Crom Dubh lena bhuachaill.
'Tá píosa feola eile anseo agam agus tabhair chuig
Pádraig é go bhfeicfimid an nglacfaidh sé buíochas liom.'
Ar aghaidh leis an mbuachaill
go dtí teach Phádraig.

Thug an buachaill an dara píosa feola don naomh.
'Bronntanas eile ó mo mháistir,' arsa an buachaill.
Ní dúirt Pádraig ach *'Deo Gratias!'*

'Ar ghlac Pádraig buíochas liom inniu?' arsa Crom Dubh.

'Níl a fhios agam céard a dúirt sé,' arsa an buachaill. 'Ní i nGaeilge Mhaigh Eo a labhair sé – Gaeilge Chorcaí, b'fhéidir!'

Bhí Crom Dubh míshásta go maith.

An lá ina dhiaidh sin arís chuir Crom Dubh píosa feola eile chuig Naomh Pádraig.

'Bronntanas eile ó mo mháistir,' arsa an buachaill.

'Deo Gratias!' arsa Pádraig agus ní dúirt sé níos mó.

Tháinig an buachaill ar ais go dtí a mháistir.

'Sea!' arsa Crom Dubh, 'cén buíochas a ghlac sé liom inniu?'

'An buíochas céanna a ghlac sé leat an dá uair eile,' arsa an buachaill.

'Ar ais leat agus abair leis teacht anseo láithreach,' arsa Crom Dubh go feargach.

Tháinig Naomh Pádraig go dtí teach Chrom Dubh.
Thug Crom Dubh faoi láithreach.

'Níor ghlac tú buíochas liom as mo thrí phíosa feola,'
ar seisean.

'Ghlac mé buíochas mór leat,' arsa Naomh Pádraig.

'Níor ghlac tú buíochas ar bith liom!' arsa Crom Dubh.

'Ó, go deimhin, ghlac mé buíochas mór leat,' arsa
Naomh Pádraig.

'Féach,' arsa Pádraig, 'an bhfuil scálaí agus meá agat?'

'Tá,' arsa Crom Dubh.

'An bhfuil trí phíosa feola agat – píosaí chomh trom agus chomh maith leis na trí cinn a chuir tú mar bhronntanais chugamsa?' arsa Pádraig.

'Tá,' arsa Crom Dubh.

'Cuir ar an scála iad!' a dúirt Pádraig.
Chuir Crom Dubh na trí phíosa feola ar thaobh amháin den mheá. Ní dhearna Pádraig ach *Deo Gratias* a scríobh trí huaire ar phíosa páipéir.

Ansin leag an naomh an píosa páipéir sin ar an scála eile.

Ba throime go mór an píosa páipéir ná na trí phíosa feola a bhí ag Crom Dubh!

'Ó, a Phádraig,' arsa Crom Dubh, 'ar son Dé, baist mise agus a bhfuil i mo theach agus mo mhuintir go léir!'

Baisteadh Crom Dubh agus a mhuintir an lá sin, an Domhnach deireanach de mhí Iúil, fadó fadó.
Deo Gratias!